Yoko♥Nakamura

Une grosse faim de LOUP

Yoko Nakamura

Loup avait faim.
Une grosse faim de loup.
Il s'aventura hors de la forêt
et aperçut une maison.

Dans cette maison vivaient une maman
et ses cinq chatons.
Maman Chat était sur le point de sortir.
– Les enfants, je vais faire une course.
Soyez sages.

«Quelle aubaine!» pensa Loup
en se léchant les babines.

Il se faufila jusqu'à la fenêtre.

– Mignons chatons, ça vous dirait
d'aller jouer dans la forêt ?

– Il y aura des gâteaux ?

– Mieux que ça ! Il y a des framboises.
Bien meilleures que des gâteaux...

– Il y aura une piscine ?

– Mieux que ça ! Il y a un étang.
Dix fois plus vaste qu'une piscine...

Il n'en fallait pas plus
pour convaincre les chatons...

... et ils bondirent sur le chemin.

Loup mourait d'envie de les dévorer
tout de suite. Pourtant il les mena
d'abord au champ de framboises,
pour les faire grossir un peu.

Avancer avec cinq chatons
était plus difficile qu'il ne
l'avait pensé !

Une fois au champ, les gloutons se ruèrent sur les framboises.

« Mangez, mangez, mes petits, se réjouissait Loup. Vous n'en serez que meilleurs... »

Mais les framboisiers cachaient des flaques.
Les chatons abandonnèrent leur goûter
à la minute où ils les remarquèrent !

« Malheur ! Les chatons boueux
sont pleins de microbes. Je vais
tomber malade ! » se lamenta Loup.

HOP !

HOP !

Heureusement, il eut une idée.

– Mignons chatons ! Et si on
allait à l'étang, maintenant ?

Tout excités, les garnements
se précipitèrent vers l'eau.

Loup jubilait.

Son plan fonctionnait...

Enfin, presque. Les chatons sautèrent tête
la première, alors qu'ils n'avaient pas pied.

« Malédiction ! Mon repas
se noie ! » paniqua Loup,
avant de voler à leur secours.

Les imprudents étaient sauvés,
mais Loup n'était pas rassuré
pour autant.
« Si mon repas est froid,
il me restera sur l'estomac… »

Il alla chercher une grande
marmite et du bois.

– Rien de tel qu'un bon bain
pour se réchauffer !

Mais le bois était à peine posé...

... que deux chatons
s'emparèrent de bâtons
pour jouer à l'épée.

Paf !

Bing !

Deux autres en profitèrent
pour retourner aux framboises.
Le dernier s'occupait du feu.
Le ventre de Loup gargouillait
de plus en plus.

Il avait presque envie
de pleurer, Loup.

Les chatons ne s'inquiétaient de rien ;
ils versaient leurs framboises dans
la marmite pour faire de la confiture.

« Des chatons à la confiture ?
Pourquoi pas, après tout. »

Loup retrouva le sourire
et touilla la mixture.

C'est alors qu'une maman ours s'approcha.

– Hmmm, ça sent bon ! Dites, Monsieur Loup,
depuis quand gardez-vous les enfants ?
Je peux vous confier le mien pendant que
je vais chercher du miel ?

– Heu... oui... mais...

Désemparé, Loup vit arriver une maman raton laveur et ses jumeaux.

– Je vous les laisse juste le temps de laver mes patates douces dans la rivière !

D'autres mamans s'avancèrent avec leurs enfants.

– Les miens aussi, s'il vous plaît.

– Et mon petit, c'est possible ?

– Ce n'est pas tellement ce que j'avais prévu...
bougonnait Loup tout en s'occupant des petits.
Maman Chat passa par là.
– Ça alors, Monsieur Loup ! Vous avez gardé
mes chatons ? Merci beaucoup ! dit-elle.
Et elle lui offrit un poisson.

Puis ce fut au tour de Maman Ours, de Maman
Lapin, de Maman Raton laveur.
– Voilà un gâteau au miel pour vous…
– Et voici des biscuits à la carotte !
– Prenez aussi cette patate douce ; vous nous
avez rendu un fier service !

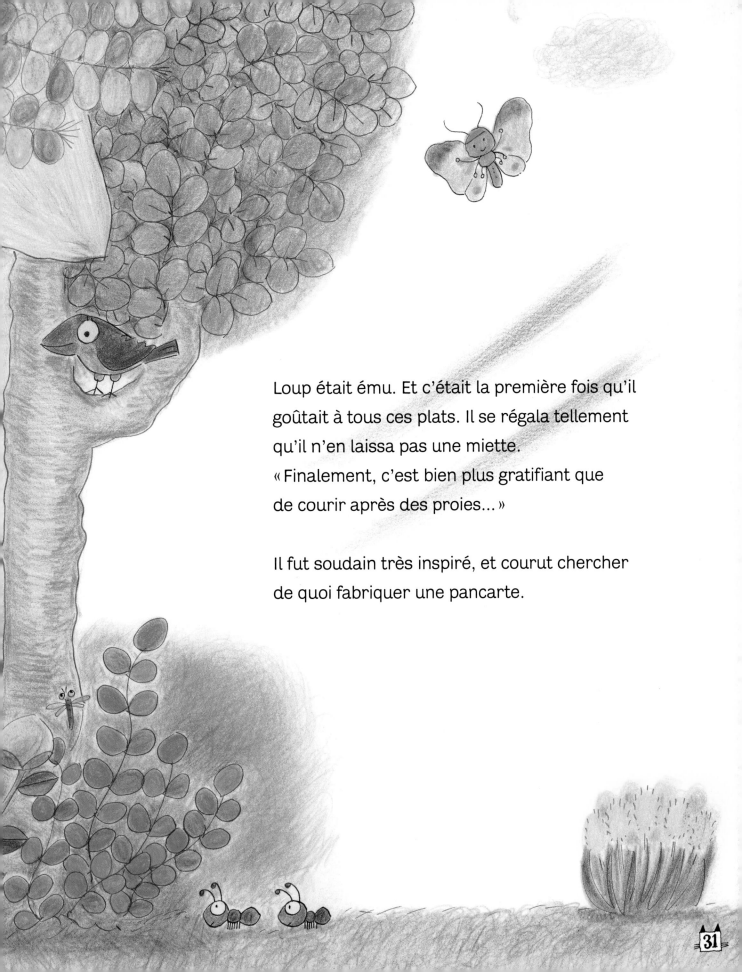

Loup était ému. Et c'était la première fois qu'il goûtait à tous ces plats. Il se régala tellement qu'il n'en laissa pas une miette.
« Finalement, c'est bien plus gratifiant que de courir après des proies... »

Il fut soudain très inspiré, et courut chercher de quoi fabriquer une pancarte.

La Garderie du loup vit défiler bien des petits. Encore aujourd'hui, c'est un grand succès !